A Kalmus Classic Edition

Isaac
ALBÉNIZ

COLLECTED WORKS

VOLUME I

FOR PIANO

K 09478

NAVARRA

I. ALBENIZ

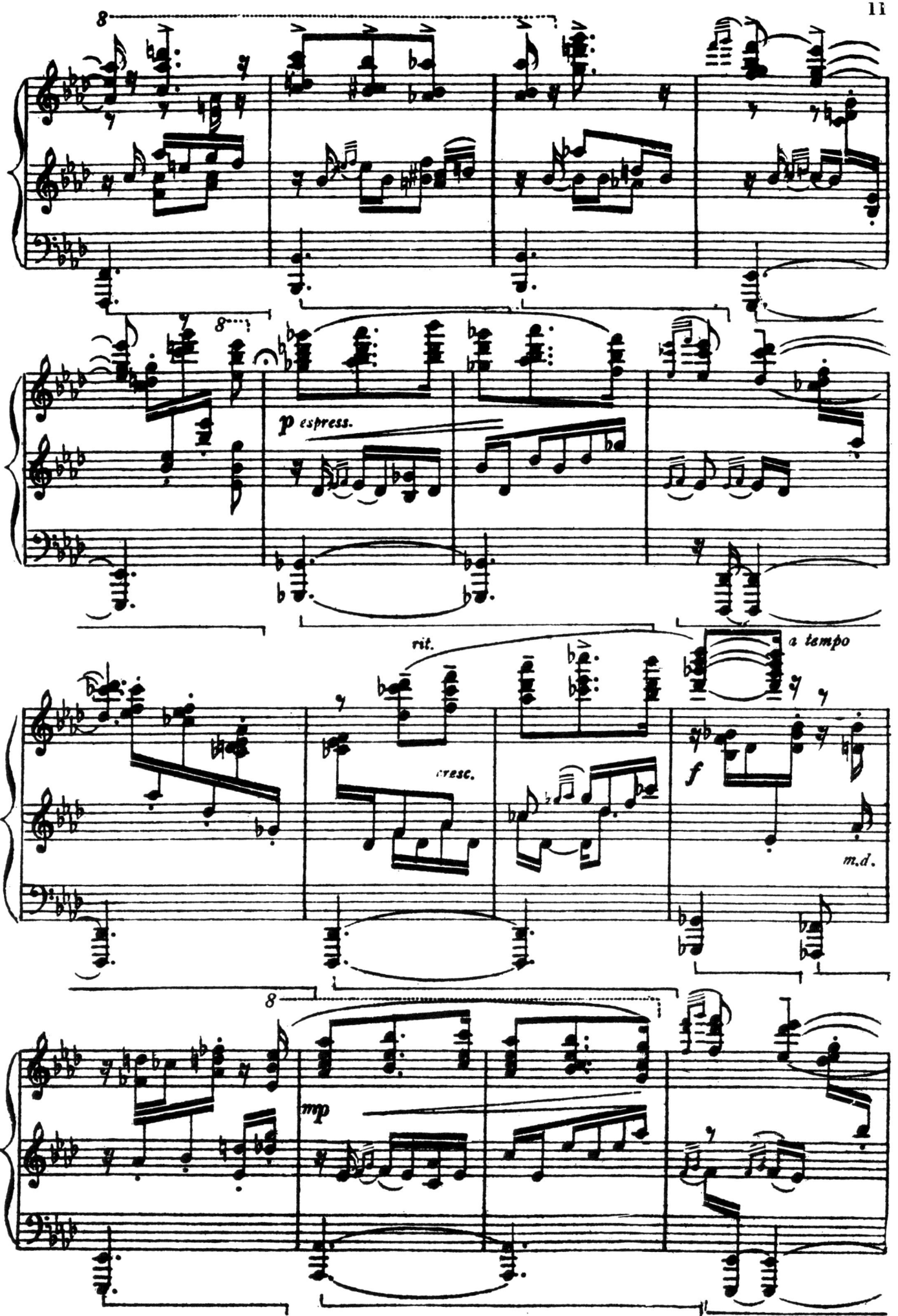

12

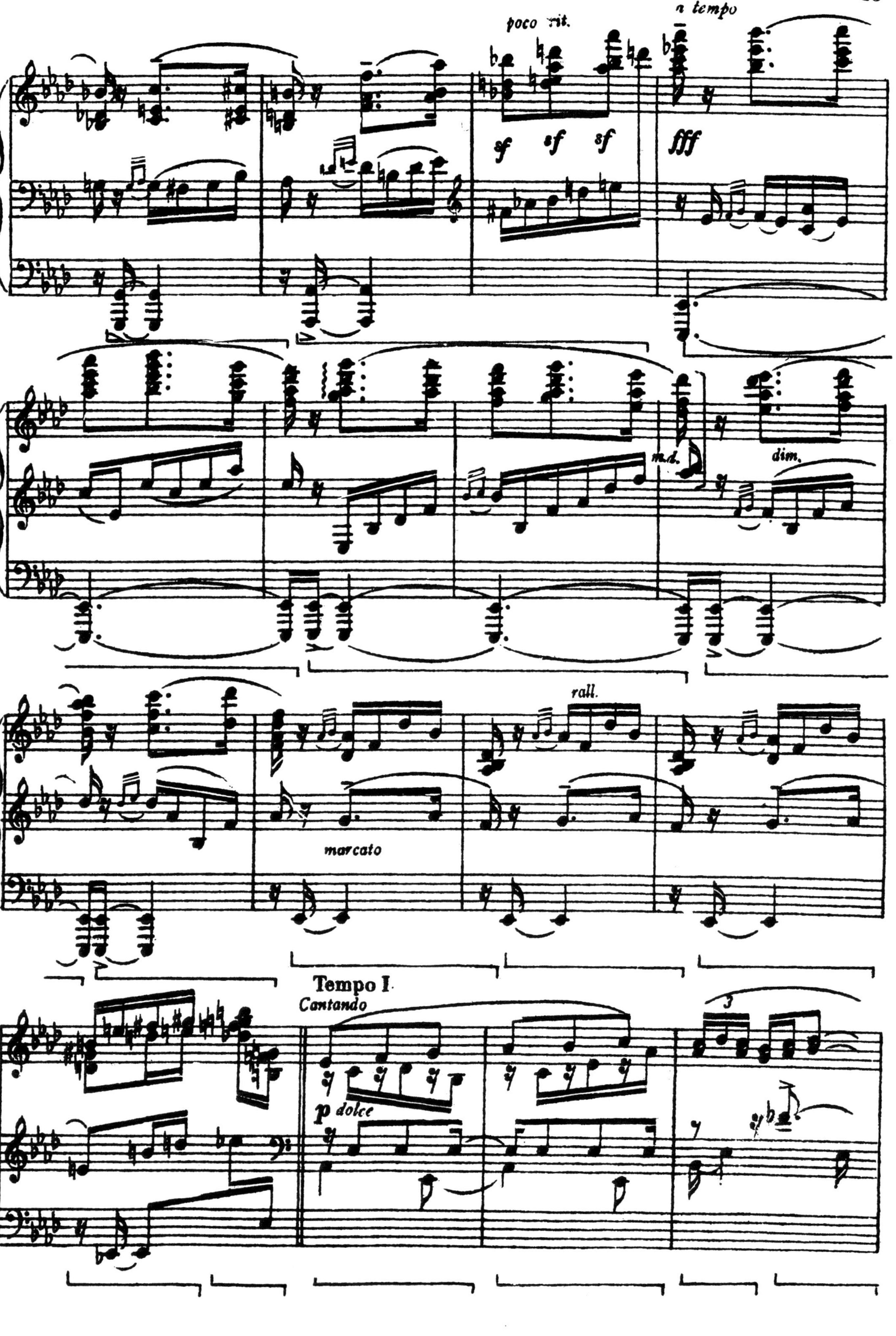
poco rit.
a tempo
sf
sf
sf
fff
m.d.
dim.
rall.
marcato
Tempo I
Cantando
p dolce
3

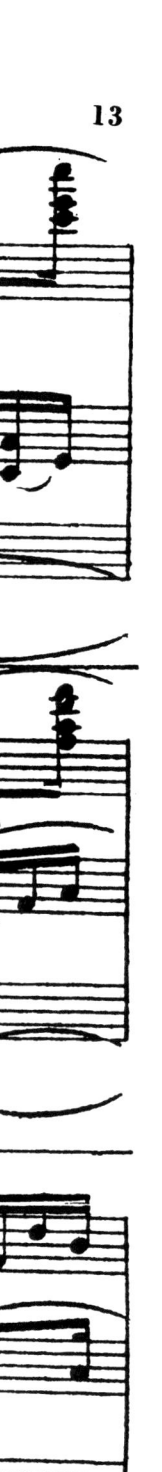

14

[1] Aquí termina el manuscrito de Albéniz

18

A Miss Ellie Lowenfeld.

MALLORCA.

Barcarola.

I. Albeniz, Op. 202.

24

CÉLÈBRE
SÉRÉNADE ESPAGNOLE

I. ALBENIZ.

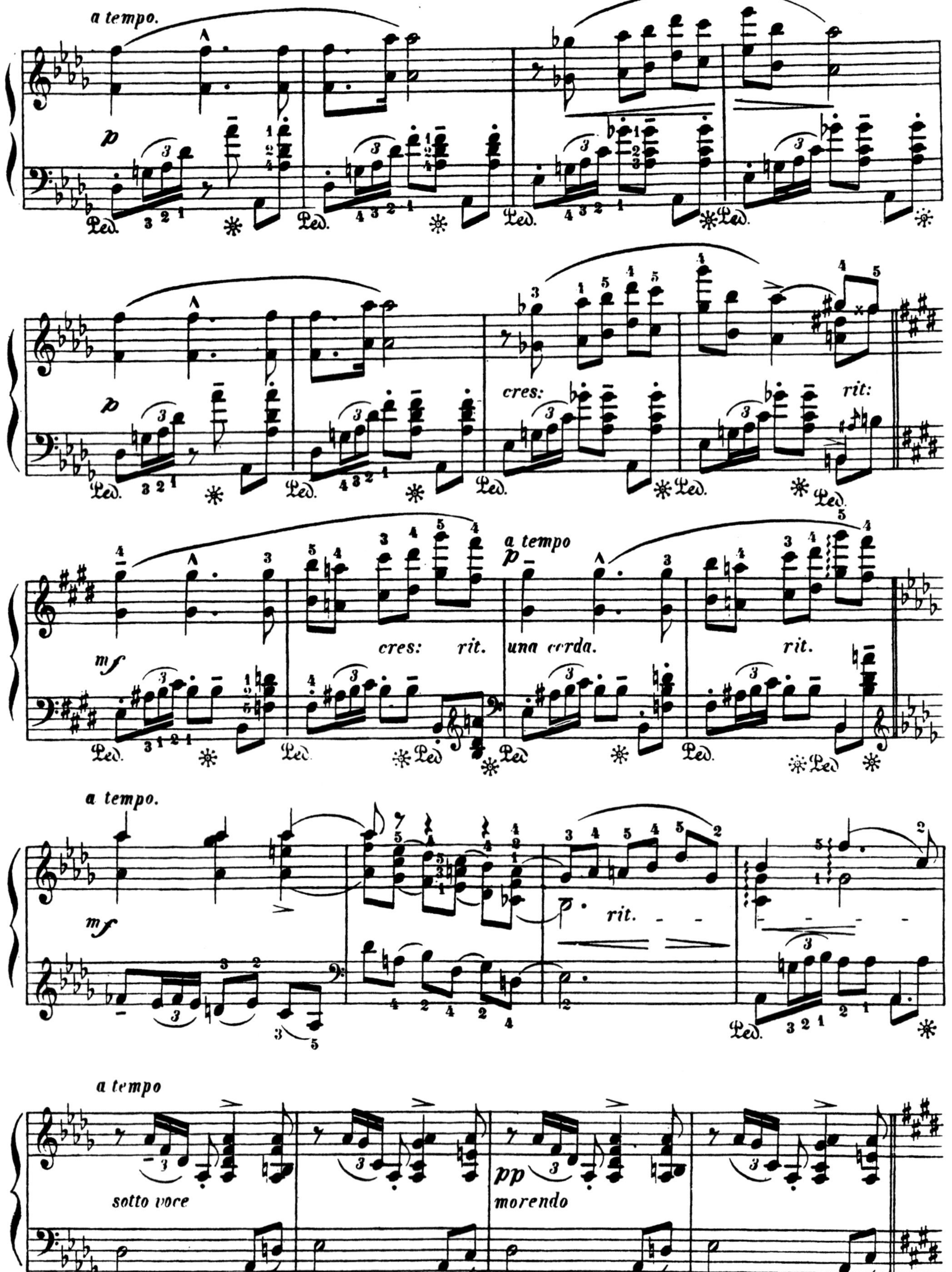
a tempo.
cres:
rit:
a tempo
cres: rit.
una corda.
rit.
a tempo.
rit.
a tempo
sotto voce
morendo

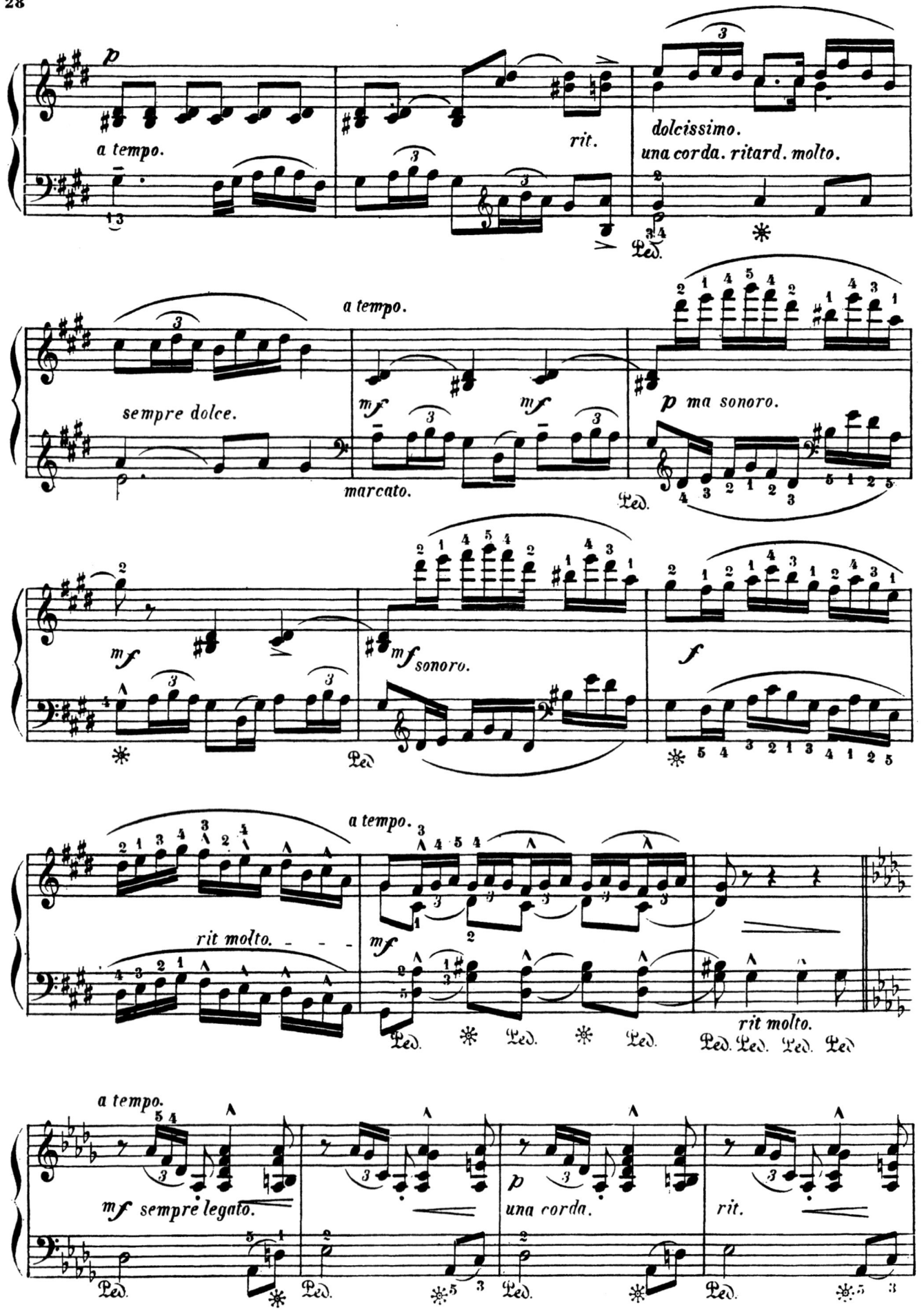

TRIANA

I. ALBENIZ

34

35

tranquillement
cresc.
sf
sf et ppp
bien en dehors.
pp
Ped.
ppp
pp
a Tempo
allargando.
rit
ppp

37

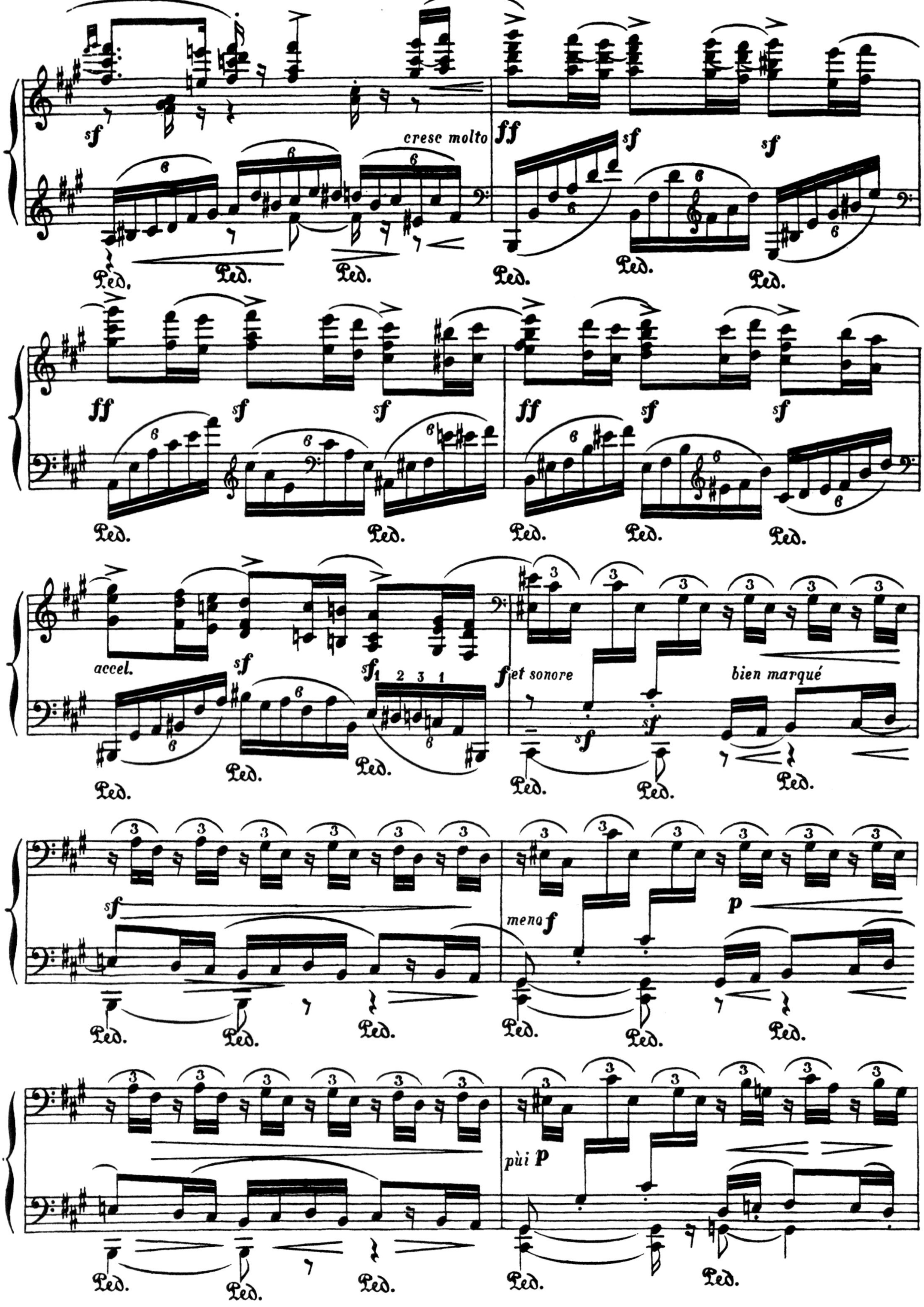

cresc molto
accel.
f et sonore
bien marqué
meno f
pùi p

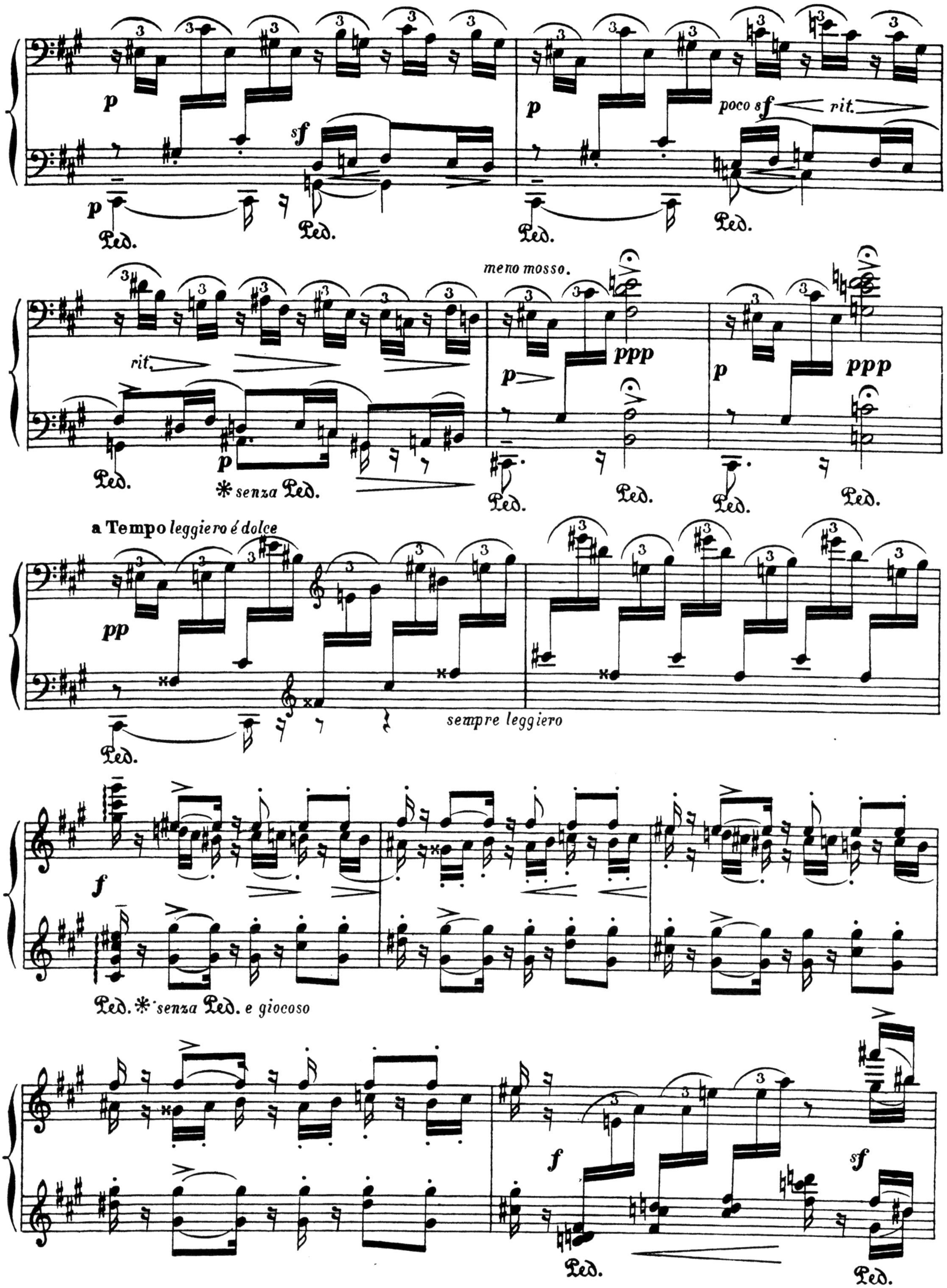
p
sf
poco sf
rit.
Ped.
meno mosso.
ppp
senza Ped.
a Tempo leggiero é dolce
pp
sempre leggiero
f
senza Ped. e giocoso

40

f
ff
f et sec
sf dolce et rit
f et PP subito
dim
rit.
a Tempo. poco meno
PP ma sonoro
ben marcato
Ped. ma P
senza Ped.
rit.

a Tempo Iº
pp
rit.
Ped.
Ped.
pp ben staccato
rit.
senza Ped.
ppp rit molto.
Tempo Iº e giocosamente
pp
senza Ped.
très rythmé.
p et sec.
gentiment
poco sf
dim.
sans Ped. et avec gaminerie.
a Tº. con anima
8
rit.
fff
ffff
Ped.
Ped.
Ped.

ZAMBRA GRANADINA.

DANSE ORIENTALE.

A Monsieur ARTHUR HERVEY.

I. ALBENIZ.

Allegretto, ma non troppo. ($\quarternote = 88$.)

44

45

46

47

48

A S. A. R.
La Infanta Dª Eulalia de Borbon.

SERENATA ARABE

Isaac Albeniz.

50

51

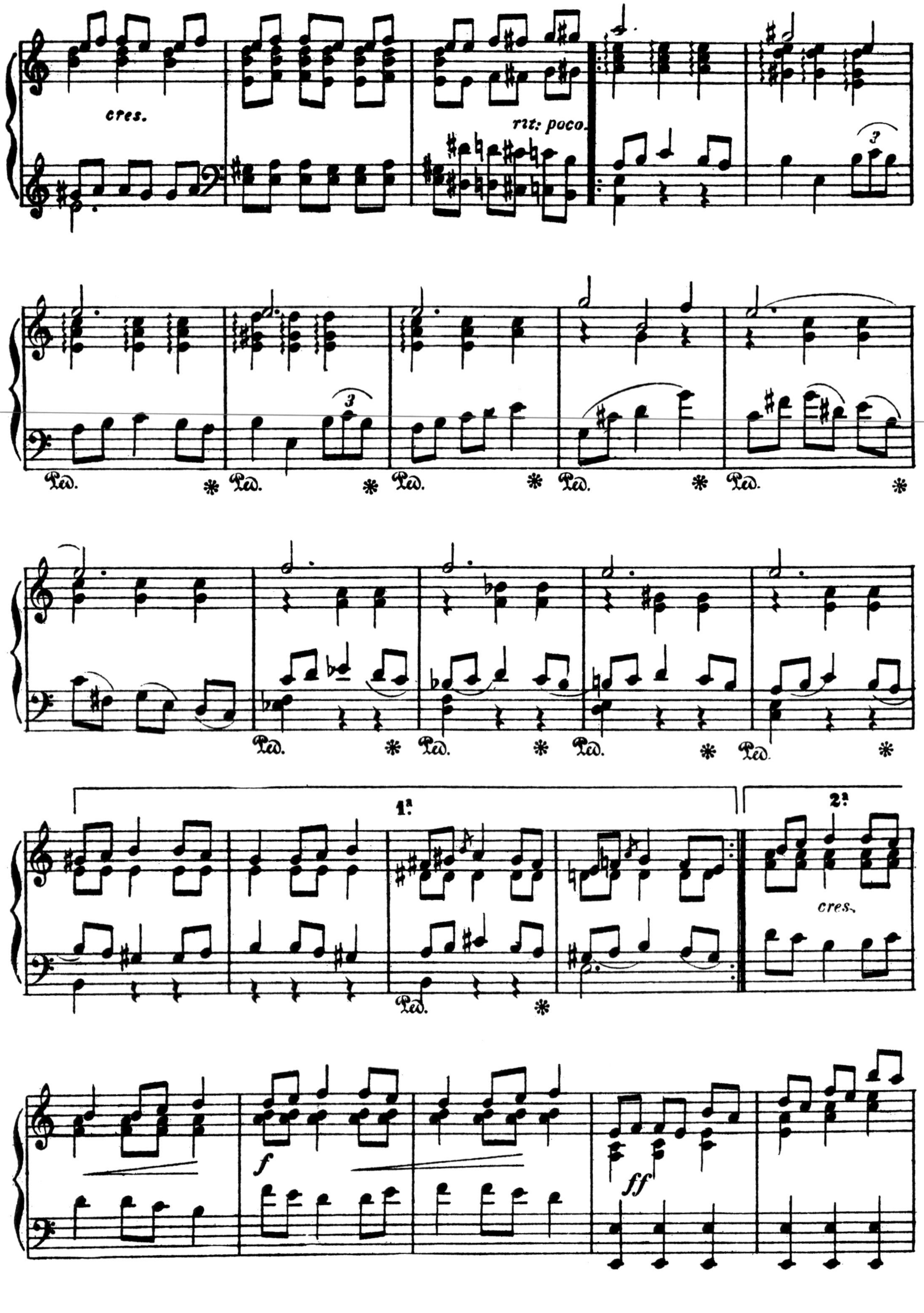
cres.
rit: poco
Ped.
1a
2a
cres.
f
ff

53

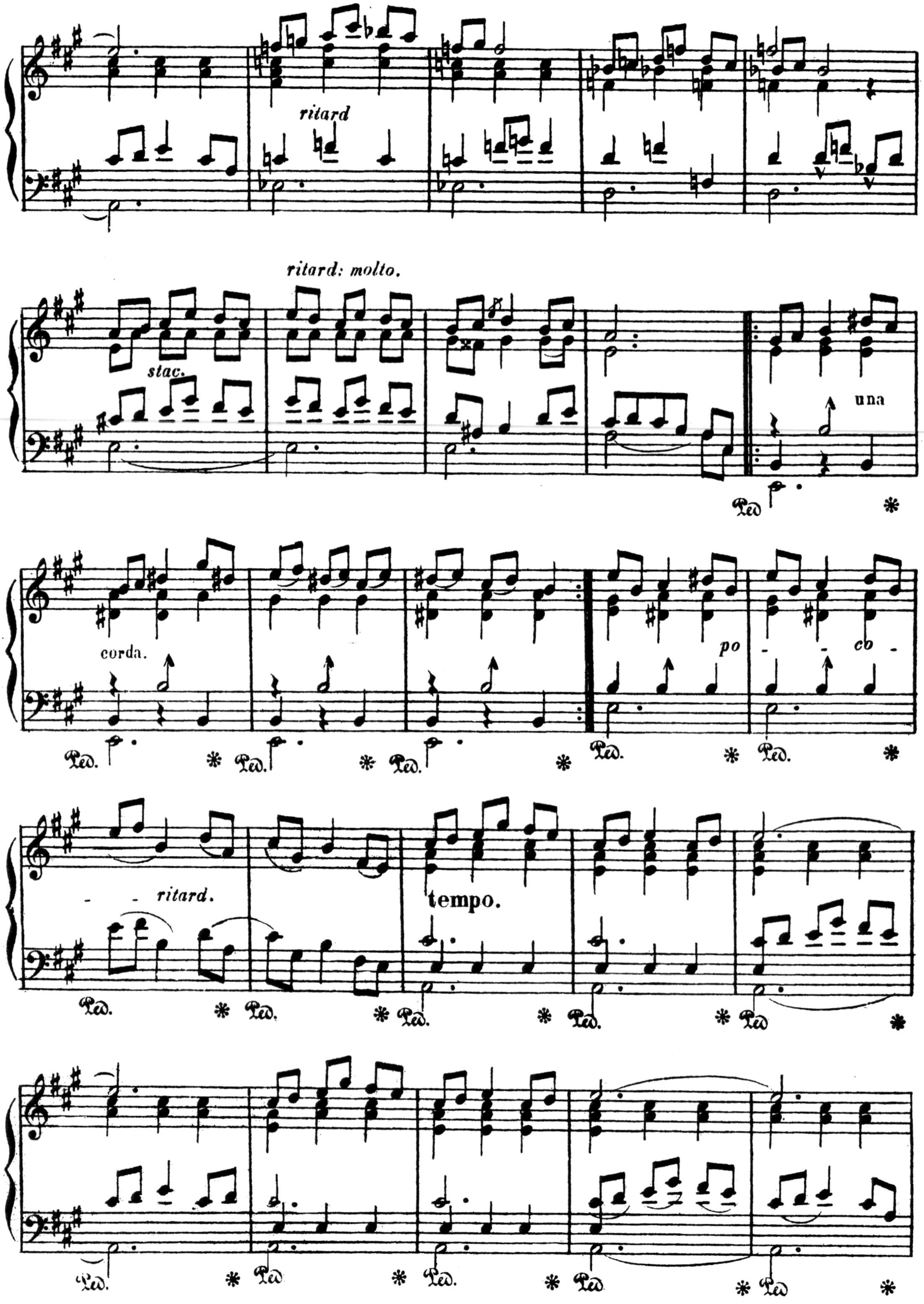
ritard
ritard: molto.
stac.
una
corda.
po - - co - - ritard.
tempo.
Ped.

55

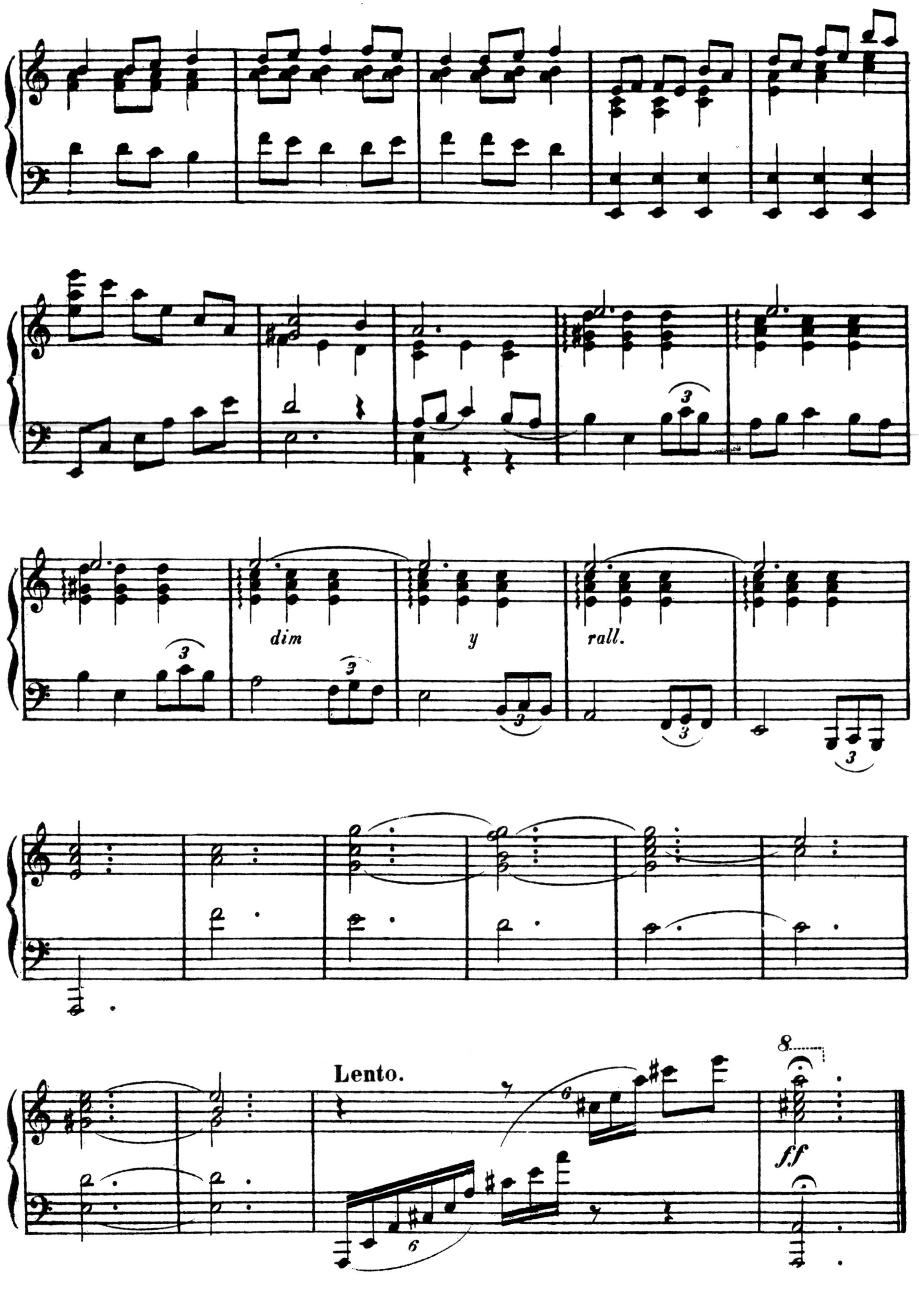
dim
y
rall.
Lento.
ff

ESPAGNE

(SOUVENIRS)

2º ASTURIES

I. ALBENIZ.

sf
marcatto il canto.
marcatto il canto.
poco cres.
dolce.
ben marcatto.
dolce.
cres.
cres.
Ped.

59

dolcisimo.
sempre dolce e ben legatto.
pp e rit.
a tempo e poco sf
sf
dolcisimo.
pp
ppp
perdendosi e rall.
dolcisimo.
poco sf
sf
ppp
Andante.
ppp ma sonoro.

AUG 2 1 2013

HEWLETT-WOODMERE PUBLIC LIBRARY

3 1327 00576 8981

28 DAY LOAN
Hewlett-Woodmere Public Library
Hewlett, New York 11557-0903

Business Phone 516-374-1967
Recorded Announcements 516-374-1667